JN115738

おしえて！くもくん

プライベートゾーンって なあに？

監修 小笠原 和美
制作 サトウ ミユキ
企画 masumi

「みんな　げんきにしているかな？」
くもくんは、おそらの　うえから　いつも
こどもたちを　みまもっている　やさしい　くも。

なにかあると、ひゅーっと　とんでいって
いろんなことを　おしえてあげるんだ。

Welcome

こうえんで　あそんでいるのは、
いつもの　なかよし　さんにんぐみ。
まーくんと、 けんくんと、 かれんちゃん。

きょうは　おにごっこを　しているのかな？

あっ！
たいへん！

「つかまえた～。」
おにの　まーくんが、ふざけて
けんくんの　ぱんつを　おろしちゃいました。
「わはは、おしり　まるだし～。」
まーくんは、おもしろがっています。

それをみて、
「きゃーっ、やだぁ～。」と、かれんちゃん。

「ちょ～っと　まった～！
だめだめだめ、ぜーったい　だめ！」
くもくんは、あわてて　とんでいきました。
「けんくん、だいじょうぶ？」

くもくんが　しんぱいしていうと、
さんにんは　びっくり。
「え？　なにが？　あそんでただけだよ。」
「だって、プライベートゾーンが……」
と、くもくん。

「プライベートゾーン（ぷらいべーとぞーん）？　それなあに？」
「そうか、みんな　しらなかったんだね。
じゃあ、おしえてあげるよ！」

くもくんは、そういって　さんにんを　のせて
おそらのきょうしつへ　とんでいきました。

おそらのきょうしつ

「プライベートゾーンっていうのは、
みずぎを　きると　かくれるぶぶんの　ことだよ。
じぶんだけの　だいじなばしょ。
かんたんに　ひとに　みせたり、
さわらせたりしては　いけないんだ。」

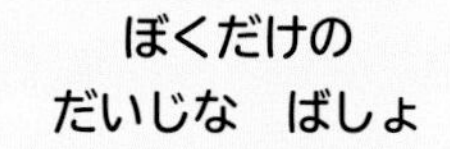

おくちも
だいじな
ぶぶんだよ。

※おくちも　だいじな　ぶぶんです。かってに　キスしては　いけません。

プライベートゾーン
みずぎで
かくれる ぶぶん
みずぎで
かくれる ぶぶん
わたしだけの
だいじな　ばしょ

「そう、じぶんだけの　だいじなばしょ。
だから　ほかのひとの　プライベートゾーンを
むりやりみたり、
さわったりしちゃ　いけないよ。」

「そうか、プライベートゾーンは
じぶんだけの　だいじなばしょ　なんだね。
ぼくも　みられたら　いやだよ。
けんくん、ごめんね。」

「もし、じぶんの　プライベートゾーン（ぷらいべーとぞーん）を
さわられそうに　なったら、
いや！って　おおきなこえで　いおうね。」

「ぼく、ほんとは　いやだと
おもったけど、いえなかったんだ。
これからは、いやっていうよ！」

「そうだね。いやって
いえないときも　あるよね。
ゆうきを　だせると　いいね。」
と、くもくん。

「もしも、おともだちが　いやなことを
されていたら、たすけてあげてね。」

「じぶんで　たすけるのが
むずかしければ
おとなに　はなせばいいよ。」

「おとなに　はなせばいいのね！　それなら　できそう！」
と、かれんちゃん。

「よかった。これで　みんなたのしく　あそべるね。」
くもくんは、さんにんを　のせて　ひゅーっと
とんでいきました。

「くもくん、ありがとう！」
さんにんは　こうえんに　つくと　またすぐに
あそびはじめました。

くもくんは、きょうも　おそらの　うえから
みんなのことを　みまもっているよ。

＼よんでみよう／

くもくんからの おてがみ

たいせつな　きみへ

プライベートゾーンのこと　わかったかな？

きみの　からだは　きみのもの。

じぶんの　からだを　どうするか　きめられるのは

じぶんだけ　なんだよ。

きみも　そして　おともだちも

みんな　ひとりひとりが　たいせつなんだ。

じぶんが　かんじるきもちを　たいせつにしてね。

ぼくは　いつでも　おそらから　みているよ！

くもくんより

おへんじ
まってるね！

くもくんへ

より

くもくんへ
おへんじを　かこう!

大人の方へ
くもくんへのお返事を、お子さんとのコミュニケーションのきっかけにしてはいかがでしょうか？
お子さんが書いた手紙は「#くもくんおてがみ」とつけて、ぜひSNSに投稿してください。
皆さんでプライベートゾーンを学ぶ輪を広げていきましょう。

#くもくんおてがみ

※「くもくんおてがみ」はダウンロードできます。
詳しくは購入者特典の案内をご覧ください。

1 プライベートゾーンは　どこかな？

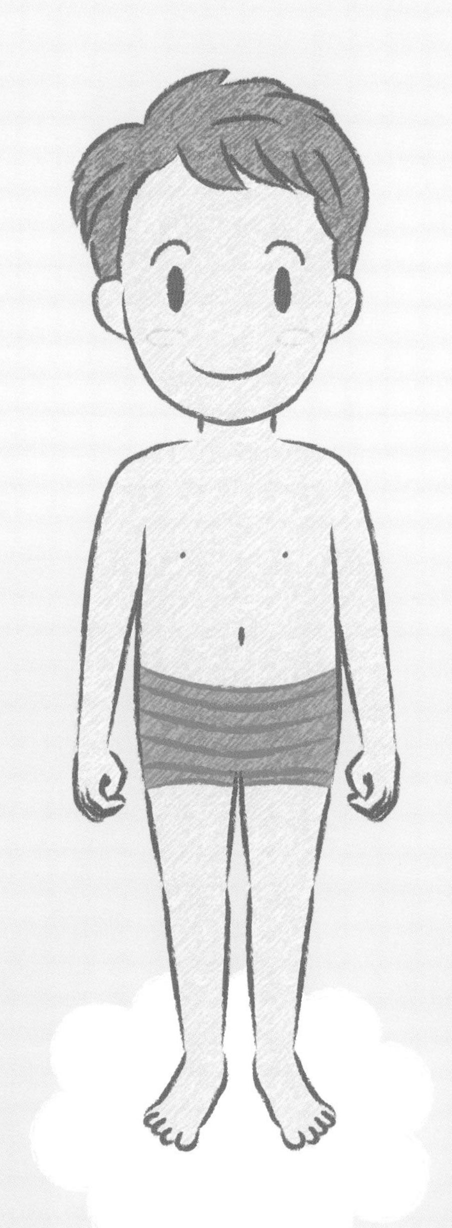

こたえは……
みずぎを　きると
かくれる　ところ。
じぶんだけの　だいじな
ばしょだよ。

おくちも
だいじな
ぶぶんだよ。

2 きみは　どうかな？

チェック1

だれかの　プライベートゾーンを
かってに　みたり　さわったり
したことが　あるかな？

ある　　　ない

ほかのひとの　プライベートゾーン
を　かってに　みたり　さわったり
しないように　しようね。

チェック2

プライベートゾーンを　みられたり
さわられたりして　いやなきもちに
なったことが　あるかな？

ある　　　ない

もし、そういうことが　あったら
いやって　いおうね。
おとなにも　おはなし　してね。

チェック3

いやなことを　されている
おともだちを　しっているかな？

しっている　　　しらない

いやなことを　されている
おともだちが　いたら　おとなに
おはなし　してね。

3

ゴールまで いけるかな？

スタート

プライベートゾーンの
やくそくを まもって
おそらの こうえんへ いこう。

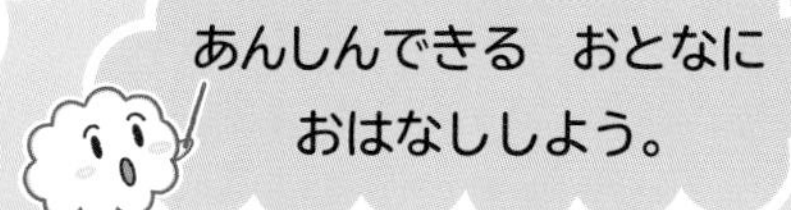

おともだちに かってに
キス してもいい？

だめ

いい

プライベートゾーンを みられたり
さわられたりして いやな
きもちになったら？

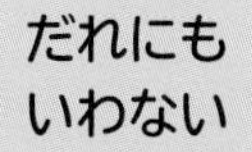

だれにも
いわない

おとなに
はなす

かってに キス
しては いけないよ。

プライベートゾーンを
さわられて「ないしょだよ」
といわれたら、どうする?

ないしょ
にする

だれかに
そうだんする

それは　まもらなくていい
やくそくだよ。
だれかに　そうだんしてね。

もし、きみが
プライベートゾーンを
みられたり　さわられたりしたら
わるいひとは　だれ?

みたひと
さわったひと

きみ

わるいのは　きみじゃない。
みたり　さわったりした　ひとだよ。

ゴール

知識は力　お子さんの心と身体を守るために プライベートゾーンについて話しましょう

「おしえて！ くもくん」はいかがでしたか？
このお話のように、子供が遊びの中で

- 自分や友だちのパンツを下ろす
- スカートめくりをする
- 勝手に友だちに抱きつく
- キスする

ということはよくあるのではないでしょうか。

このような場面を見かけた時、「まだ子供だから」と、微笑ましく見ているという方もいるかもしれません。でも、そんな時こそ、プライベートゾーンについて教えてあげてほしいのです。

プライベートゾーンとは

「水着を着ると隠れる部分」のこと

☑ 自分だけの大事な場所で、簡単に見せたり触らせたりしてはいけない。

☑ もし、見られたり触られたりしそうになったら「いや」と言う。大人に相談する。

※口も大事な部分。勝手にキスしてはいけない。

このプライベートゾーンの知識は「自分を守る力」になります。

性被害の実態

内閣府の調査結果(※)によると、女性の13人に1人が性被害に遭っています。そして被害者の１割が小学生以下で、男の子の被害もあります。

プライベートゾーンの知識のない子供は抵抗することや相談することができず、被害だと気付くまでに何年も経ってしまうこともあります。

また、プライベートゾーンについての正しい認識がないまま成長してしまうと、知らず知らずのうちに加害者になってしまうこともあります。

※内閣府「男女間における暴力に関する調査」(平成29年度調査)

被害者にも加害者にもさせないために

お子さんを性的な「被害者」にも「加害者」にもさせないために、小さい頃からプライベートゾーンについて教えてあげてください。そして「自分の身体は自分のもの。嫌だなと思うことをされたら嫌だと言って良い」という身体の自己決定権についても伝えてください。

自分の言葉で教えるのが難しい場合は絵本の読み聞かせが効果的です。 絵本を読みながら「何かあったらいつでもお話ししてね」と声がけをすることで、お子さんがSOSを伝えやすい関係ができるからです。

お子さんからSOSがあったら？

では、実際にお子さんからSOSがあった場合、どのように対応すれば良いのでしょうか？ 事前に知っておくべきことについて以下のサイトに掲載していますので、是非ご覧ください。

「おしえて！くもくん」保護者の方へ

https://www.higashiyama.co.jp/kumokun/hogosya

性被害のない社会へ

子供たちを取り巻く環境はいつも安全とは限りません。お子さんの世界はこれからどんどん広がり、大人の目が届かない時間も増えていきます。

しかし、「知識は力」になります。

この絵本が、“性被害のない安心して過ごせる未来” への架け橋となることを願っています。

● 監修：小笠原 和美

慶應義塾大学総合政策学部教授（有期）
（専門：社会安全政策、性暴力、ジェンダー）
1994年警察庁入庁
2008年頃から性暴力対策に取り組み、「函館性暴力被害防止対策協議会」の発足に尽力するなど、
様々な立場の人や組織と連携して、地域の力で子供たちを守る仕組みをプロデュース。CAPスペシャリスト。

〈主要論文〉
■性暴力犯罪対策に関する考察（2009警察学論集第62巻8号 立花書房）
■性犯罪によるPTSD致傷罪の立件事例（2010警察学論集第63巻7号 立花書房）
■病院を拠点とする性犯罪被害者支援のための多職種連携～産婦人科医療とアドボケイトを中心に～（2010警察学論集第63巻10号 立花書房）
■子どもを性被害から守る（2017季刊現代警察 153号 啓正社）
■性犯罪（2018「社会安全政策論」立花書房）

● 制作：サトウ ミユキ

グラフィックデザイナー。2018年に4歳の娘のために自費出版で絵本「くもくんとすごいくも」を出版。
Instagram（@ehon_sato_miyuki）

● 企画：masumi

小笠原和美さんの活動を応援する中で、サトウミユキさんの絵本と出会う。
「くもくんのかわいらしいキャラクターで子供たちを性被害から守るための絵本を作りたい」と
おしえて！くもくん プロジェクトを発足。

おしえて！ くもくん ～プライベートゾーンって なあに？～

2021年2月22日　初版発行
2021年6月22日　初版第2刷発行
2022年2月23日　初版第3刷発行
2023年12月2日　初版第4刷発行

監修 小笠原 和美　制作 サトウ ミユキ　企画 masumi

発行者　山本 敬一
発行所　（株）東山書房
〒604-8454　京都市中京区西ノ京小堀池町 8-2
tel.075-841-9278 fax.075-822-0826

印刷所　創栄図書印刷（株）

ISBN978-4-8278-1583-2

購入者特典

本書と一緒に活用できる購入者特典が東山書房のホームページからダウンロードできます。「東山書房くもくん」と検索するか、QRコードを読み取って絵本の購入ページからアクセスしてください。

ダウンロードには以下のIDとパスワードが必要です

ID　kumokun
PASSWORD　197212kzmyms

東山書房くもくん 

▼ダウンロードページ
https://www.higashiyama.co.jp/kumokun/tokuten

学校関係者向け特典

本書を使ったプライベートゾーンの指導に役立つ資料

- 活用の手引き（指導案付き）
- 保護者向け配布資料
- パワーポイント版絵本
- ポスター
- ワークシート・ふりかえりシート
- くもくんフリー素材

ご家庭向け特典

印刷して使えるページ（PDF）

- くもくんおてがみ
- くもくんおえかき

【ご注意】
・本特典は本書をご購入いただいた方にご利用いただくためのものです。
・商業利用は禁止（学校などでプライベートゾーンを教える目的での利用は可）。

おえかきコーナー

くもくんと　いっしょに
おそらを　とぼう！

いろも　ぬってね！

ここに　おえかき　してね！